So schön ist

Der Harz

Sachbuchverlag Karin Mader

Fotos:
Jost Schilgen

Text:
Martina Wengierek

© Sachbuchverlag Karin Mader
D-28879 Grasberg

Grasberg 1996
Alle Rechte, auch auszugsweise, vorbehalten.

Seite 2/3: Karte und Emblem mit freundlicher
Genehmigung des Harzer Verkehrsverbands e. V.
Foto S. 33: Stadt Thale
Fotos S. 56 + 57: Kurverwaltung Bad Lauterberg
Foto S. 71: Kurverwaltung Hahnenklee

Übersetzungen:
Englisch: Michael Meadows
Französisch: Mireille Patel

Printed in Germany

ISBN 3-921957-09-5

In dieser Serie sind erschienen:

Aschaffenburg	Erfurt	Krefeld	Der Rheingau
Baden-Baden	Essen	Das Lipperland	Rostock
Bad Oeynhausen	Flensburg	Lübeck	Rügen
Bad Pyrmont	Freiburg	Lüneburg	Die Küste –
Bochum	Fulda	Mainz	Schleswig-Holstein Ostsee
Bonn	Gießen	Mannheim	Schwerin
Braunschweig	Göttingen	Marburg	Siegen
Bremen	Hagen	Die Küste –	Stade
Bremerhaven	Hamburg	Mecklenburg-Vorpommern	Sylt
Buxtehude	Der Harz	Minden	Trier
Celle	Heidelberg	Mönchengladbach	Tübingen
Cuxhaven	Herrenhäuser Gärten	Münster	Ulm
Darmstadt	Hildesheim	Das Neckartal	Wiesbaden
Darmstadt und der Jugendstil	Kaiserslautern	Osnabrück	Wilhelmshaven
Duisburg	Karlsruhe	Die Küste – Ostfriesland	Wolfsburg
Die Eifel	Kiel	Paderborn	Würzburg
Eisenach	Koblenz	Recklinghausen	Wuppertal

Titel: Wernigerode · Holzstabkirche in Hahnenklee
Romkerhaller Wasserfall · Osterode · Goslar · Quedlinburg

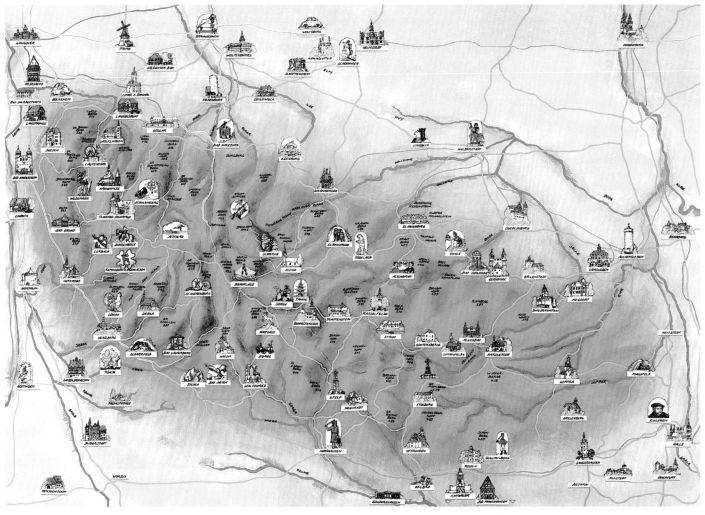

Daß im Harz die Hexen zu Hause sind, ist ein offenes Geheimnis. Aber auch sonst stecken die dunklen Fichtenwälder voller Überraschungen – über und unter der Erde. Groß geworden durch den Bergbau, der Anfang des 16. Jahrhunderts hier seine Hochblüte erlebte, bildet heute der Fremdenverkehr die wichtigste wirtschaftliche Basis der Region. Nach dem Fall der Mauer 1989 ist das wiedervereinigte Mittelgebirge auf dem besten Wege, wieder ein kleines „Paradies" zu werden – so hatte es jedenfalls schon Heinrich von Kleist beschrieben.

It's an open secret that witches have their home in Harz. However, the dark spruce forests are also full of other surprises – above and below ground. While the town's early growth was based on mining, which experienced its golden age here at the beginning of the 16th century, tourism represents the most important economic factor in the area today. After the fall of the Wall in 1989 the reunified mountain region is well on the way to becoming a "paradise" again – as Heinrich von Kleist once described it.

Ce n'est un secret pour personne que les sorcières sont chez elles dans le Harz. A part cela, les sombres forêts de sapins réservent aussi bien des surprises – sur terre et au-dessous. La région devint puissante grâce aux mines dont l'âge d'or fut le 16e siècle. De nos jours c'est le tourisme qui est la plus importante source de revenus de la région. Depuis la Chute du Mur en 1989, la Montagne Moyenne réunifiée est en bonne voie de devenir un petit paradis – c'est bien ainsi qu'Heinrich von Kleist l'avait déjà décrite.

At the northern edge of Harz is the old imperial town of Goslar, founded by Heinrich I in 922. The center of the Old Town is formed by the Gothic Town Hall, the "Kaiserworth" guildhall and the Market Church from the 12th century – one of formerly 47 that earned Goslar the name "Rome of the North".

La vieille ville impériale de Goslar, fondée par Henri I en 922, est située à la limite septentrionale du Harz. Le centre de la vieille ville comprend l'hôtel de ville gothique, la maison de la guilde «Kaiserworth» et la Marktkirche du 12e siècle. Il y avait jadis 47 églises à Goslar, ce qui lui valut le surnom de «Rome du Nord».

Goslar

Am Nordrand des Harzes liegt die alte Kaiserstadt Goslar, 922 von Heinrich I. gegründet. Zentrum der Altstadt bilden das gotische Rathaus, das Gildehaus „Kaiserworth" und die Marktkirche aus dem 12. Jahrhundert – eine von einst 47, die Goslar den Titel „Nordisches Rom" eintrugen.

Je betagter die Straßenzüge, desto romantischer das Flair. Dabei war es pure Not, die manches Haus vor dem Abriß verschonte. Als Ende des 16. Jahrhunderts der Stern Goslars sank, zwang Armut zur Sparsamkeit. So wurden die Domizile länger bewohnt und gehegt.

Wer genau hinsieht, trifft Figuren aus der antiken Götterwelt, dem Mittelalter und dem Reich der Geister: Meisterlich geschnitzt harren sie schon jahrhundertelang an prächtigen Fachwerkfassaden aus. Eintrittsgeld ist nicht gefragt – die „Museumsstücke" sind bewohnt.

The more aged the streets, the more romantic the flair. Though it was pure necessity that kept many a house from being pulled down. When Goslar's star was on the decline at the end of the 16th century, poverty compelled thriftiness. Thus the domiciles were occupied and looked after longer.

Whoever looks closely will encounter figures from the ancient world of gods, the Middle Ages and the realm of the spirits: Masterly carved, they have endured on magnificent half-timbered facades for centuries. There is no admission fee required – the "museum pieces" are lived in.

Plus les rues sont chargées d'ans, plus leur charme est romantique. Ce fut pourtant le besoin qui sauva plus d'une maison de la démolition. Lorsqu'à la fin du 16e siècle, l'étoile de Goslar commença à baisser, la pauvreté força les habitants à économiser. Les domiciles furent habités plus longtemps et entretenus avec soin.

Qui observe les détails découvrira des personnages du panthéon antique, du Moyen Age ou du royaume des esprits: Sculptés de mains de maîtres sur les façades à colombages ils ont bravé les siècles. On ne paie pas à l'entrée – les «collections du musée» sont habitées.

Sie war die Lieblingsresidenz der salischen Kaiser und gilt als größter romanischer Profanbau Deutschlands. Der Silbersegen des nahen Rammelsberges veranlaßte Heinrich III. im 11. Jahrhundert zum (Neu)Bau der Kaiserpfalz. Sein Herz ruht übrigens hier in der Ulrichskapelle.

It used to be the favorite residence of the Salic Kaisers and is considered to be the largest Romanic secular building in Germany. The silver boon of nearby Rammelsberg caused Heinrich III to build (anew) the imperial palace in the 11th century. His heart, incidentally, rests here in Ulrich Chapel.

Le Kaiserpfalz était la résidence favorite des empereurs saliens et passe pour être le plus grand édifice profane de style roman d'Allemagne. Les mines d'argent du Rammelsberg voisin incitèrent Henri III a reconstruire le palais impérial au 11e siècle. Son cœur repose ici dans la chapelle d'Ulrich.

Das Okertal

Seltene Gesteinsformationen, idyllische Wander-wege, steile Granitdome, wie hier die Adlerklip-pen, an denen Bergsteiger für alpine Ausflüge trainieren – das Okertal präsentiert ungebändigte Naturschönheit. Ein Paradies für Geologen, aber auch für Wildwasser-Kanusportler. Im tosenden Flußlauf zwischen herabgestürzten Granitbrocken wurden schon etliche Wettkämpfe entschieden.

Rare rock formations, idyllic hiking paths, steep granite domes, such as here the "Adlerklippen", where mountain climbers train for Alpine excur-sions – Okertal presents untamed natural beauty. A paradise for geologists as well as for white-water canoe enthusiasts. In the raging course of the river between fallen chunks of granite many a competi-tion has been decided.

D'étranges formations rocheuses, des chemins idylliques, des dômes de granit escarpés tels les «Adlerklippen» où les alpinistes s'entraînent – l'Okertal présente des paysages au charme sau-vage. C'est un paradis pour les géologues et les amateurs de canoë en eau vive. De nombreuses compétitions ont eu lieu dans le courant tumul-tueux rugissant entre les blocs de granit écroulés.

Dem Bau der Okertalsperre fiel in den 50er Jahren die alte Waldarbeitersiedlung Schulenberg zum Opfer. Was in den Fluten versank, wurde auf einem reizvollen Bergrücken am Westufer 100 Meter über dem Wasser neu errichtet.
Als die Oker zur größten Talsperre im westlichen Harz aufgestaut wurde, sollte sie vor allem dem Hochwasserschutz und der Elektrizitätsgewinnung dienen. Inzwischen ist der künstliche See längst zum Eldorado für Wassersportler und Angler avanciert.

The old lumberjack settlement of Schulenberg fell victim to the construction of the Oker Valley dam in the 50's. That which sank under water was erected anew 100 meters above the water on a charming mountain ridge.
When the Oker was dammed up to form the largest reservoir in western Harz, it was intended, in particular, to provide flood protection and electricity production. Now the artificial lake has long developed into an Eldorado for water-sport and fishing enthusiasts.

La vieille colonie de bûcherons de Schulenberg fut victime dans les années 50 de la construction du barrage d'Okertal. Ce qui périt dans les eaux fut reconstruit sur une ravissante crête de montagne sur la rive ouest, à 100 mètres au-dessus de l'eau.
Lorsque le plus grand barrage de l'Harz occidental fut construit sur l'Oker, il devait servir avant tout à protèger des inondations et à fournir de l'électricité. A présent ce lac artificiel est devenu un Eldorado pour les amateurs de sport aquatique et les pêcheurs.

Wo das Wasser der Kleinen Romke 60 Meter in die Tiefe fällt, hat der Ausblick schon manchen Schnappschuß-Touristen zur Wandertour verführt. An dieser Stelle beginnt nämlich der romantische Teil des Okertales.

At the site where the water of the Kleinen Romke makes a 60-meter drop the view has tempted many a snapshot tourist into taking a hiking tour. For this is the spot where the romantic part of Okertal begins.

La chute d'eau haute de 60 mètres formée par la Kleine Romke a séduit bien des touristes amateurs de photos. C'est là que commence la partie la plus romantique de l'Okertal.

Bad Harzburg

Solethermen, Pferderennen und Roulette sind nicht die einzigen Verlockungen, denen man in Bad Harzburg erliegen kann. Zwischen Fango und Tango läßt sich wunderbar neben Cafés, Kneipen und Boutiquen promenieren und dabei mitten in der Stadt grüne Atmosphäre tanken. Schon 1570 blühte hier dank großer Quellen der Salzhandel,

Thermal brine springs, horse-racing and roulette are not the only enticements that one can succumb to in Bad Harzburg. Between "fango" and tango it is wonderful to promenade past cafes, pubs and boutiques and at the same time fill up on the green atmosphere in the center of the town. As early as 1570 the salt trade prospered here thanks to large

Sources thermales salées, courses de chevaux et roulette ne sont pas les seules tentations auquelles on risque de succomber à Bad Harzburg. Entre «fango» (application de boue) et tango on peut faire de belles promenades le long des magasins, des bistrots et des cafés et jouir des espaces verts en plein cœur de la ville. Dès 1570

bis Mitte des vorigen Jahrhunderts das Kuren in Mode kam. Inmitten der weitläufigen Parkanlagen kam auch Otto von Bismarck auf den Geschmack. Die beschaulichen Ecken, die zum Verweilen einladen, gibt es immer noch. Nur ihre Gestaltung ist gelegentlich moderner geworden.

springs until health cures came into fashion in the middle of the previous century. Otto von Bismarck also acquired a taste for it in the midst of the expansive park grounds. The tranquil areas that invite one to linger are still there. Only their appearance has in some cases become more modern.

florissait ici le commerce du sel, fourni par les grandes sources jusqu'à ce qu'au milieu du siècle dernier les cures thermales deviennent à la mode. Otto von Bismarck y prit goût, lui aussi, au sein des vastes étendues du parc. Les recoins tranquilles qui invitent à s'attarder existent encore. Seule leur apparence a été parfois un peu modernisée.

Anfang des 19. Jahrhunderts entstand die erste medizinische Badestube. Seit dieser Zeit entwikkelte sich der Ort, der erst seit 1892 den Namen Bad Harzburg trägt, zu einem der prominentesten Heilbäder Deutschlands.

The first medical baths were built at the beginning of the 19th century. Since that time the town, which has been called Bad Harzburg since 1892, has developed into one of the most prominent spas in Germany.

Le premier établissement balnéaire médical remonte au début du 19e siècle. Depuis lors cette ville qui ne porte le nom de Bad Harzburg que depuis 1892, devint l'une des stations balnéaire les plus importantes d'Allemagne.

Der Radau-Wasserfall ist ein beliebter Ausgangs-punkt für Spaziergänge und Wanderungen. Was hier 23 Meter tief über den Felsen in die Tiefe rauscht, fasziniert im Winter als bizarres Eisge-bilde.

The Radau Waterfall is a favorite excursion point for walks and hikes. The water that roars down here 23 meters over rocks into the depths fascinates the viewer in winter as a bizarre ice structure.

La chute d'eau de Radau est un lieu d'excursion et de randonnés très apprécié. L'eau qui se préci-pite du rocher haut de 23 mètres forme, en hiver, des glacons de formes bizarres.

Ilsenburg · Drübeck

Eisen – seit dem 11. Jahrhundert das Gold Ilsenburgs. Im 16. Jahrhundert war der Ort für seine Ofenplatten berühmt. Bis heute zählt der Ilsenburger Kunstguß zu den wichtigsten Wirtschaftsfaktoren. Das Hüttenmuseum (oben) dokumentiert eindrucksvoll, wie die Eisenverarbeitung die Stadtgeschichte geprägt hat. Der kleine Ort Drübeck geht auf das im 9. Jahrhundert gegründete Benediktinerinnen-Kloster zurück. Die romanische Klosterkirche St. Viti wird von der evangelischen Kirche als Erholungsheim genutzt.

Iron – Ilsenburg's gold since the 11th century. In the 15th century the town was famous for its stove plates. Ilsenburg's artistic castings are still one of its most important economic factors. The Iron and Steel Museum (above) impressively documents how iron processing has left its mark on the city's history. The small town of Drübeck dates back to a Benedictine convent founded in the 9th century. The romantic convent church of St. Viti is used by the Protestant Church as a rest home.

Le fer est, depuis le 11e siècle, l'or d'Ilsenburg. Au 16e siècle la ville était connue pour ses plaques de fourneaux. Encore actuellement les objets d'art en fonte constituent l'une des plus importantes sources de revenu de la ville. Le musée des Forges (ci-dessus) documente de façon impressionnante l'influence du travail du métal sur l'histoire de la ville. Un monastère bénédictin, fondé au 9e siècle, est à l'origine de la petite localité de Drübeck. L'égliste du monastère St. Viti, de style roman, est utilisée par l'église protestante comme maison de repos.

Wernigerode

Fantasie und Lebensfreude des Mittelalters spiegeln sich in den prächtigen Fassaden Wernigerodes wieder. Wahrzeichen ist das Schloß, das 120 Meter über der Stadt auf dem Agnesberg thront (links). Auch das Rathaus aus dem 13. Jahrhundert ist mehr als einen Augenblick wert: Früher diente es als Spielhaus für Feierlichkeiten, später auch als Gerichtsstätte. Die charakteristischen Erkertürme mit den gotischen Spitzhelmen wurden ihm erst Ende des 15. Jahrhunderts aufgesetzt.

The imagination and joie de vivre of the Middle Ages are reflected in the magnificent facades of Wernigerode. The castle, which stands in solitary splendor 120 meters above the town on Agnesberg (left), is its landmark. The Town Hall dating from the 13th century is also worth more than just a fleeting glance: it used to serve as a site for festive occasions and later as a court of justice. The characteristic bay towers with their Gothic pointed roofs were first added to it at the end of the 15th century.

Les magnifiques façades de Wernigerode reflètent la fantaisie et la joie de vivre du Moyen Age. L'emblème de la ville est le château construit sur l'Agnesberg à 120 mètres au-dessus de la ville (à gauche). L'hôtel de ville du 13e siècle mérite lui aussi l'attention: autrefois on y célébrait les fêtes, plus tard on y rendit la justice. Les oriels caractéristiques surmontés de flèches gothiques ne lui furent ajoutés qu'à la fin du 15e siècle.

Auch das „Krummelsche Haus" in der Breiten Straße hat Großbrände, Pest und Dreißigjährigen Krieg unbeschadet überstanden. Der Barockbau von 1674 mit der geschnitzten Fassade gehört zu den Architektur-Juwelen der Stadt (links). Wo heute bei Tee und Torte gern ein Schwätzchen gehalten wird, feierte der Bildhauer Ernst Barlach am 2. Januar 1938 seinen letzten Geburtstag: im „Café Wien", einem Fachwerkbau aus dem 16. Jahrhundert (rechts).

"Krummelsche Haus" in Breite Straße has also withstood large-scale fires, the plague and the Thirty Years' War unscathed. The baroque edifice from 1674 with the carved facade is one of the town's architectural gems (left). Sculptor Ernst Barlach celebrated his last birthday on January 2, 1938 at the site where people chat over tea and cake today: in "Café Wien", a half-timbered structure dating from the 16th century (right).

La «Krummelsche Haus» dans la Breite Straße a bravé elle aussi les incendies, la peste et la guerre de Trente Ans. Cet édifice baroque de 1674, avec sa façade sculptée, compte parmi les bijoux de la ville. C'est ici, au «Café Wien» où l'on bavarde volontiers en dégustant thé et gâteaux que le sculpteur Ernst Barlach célébra le 2 janvier 1938 son dernier anniversaire. C'est un édifice à colombage du 16e siècle (à droite).

Trutziger Zeuge der Vergangenheit: die Stadt-
befestigung von Wernigerode aus dem 13. Jahrhundert. Nach Erhalt des Stadtrechts hatte die
Stadt den Grafen von Wernigerode die Befesti-
gungsanlage für 70 Pfund Silber abgekauft und
erwarb so das begehrte Zollrecht an den drei
Stadttoren. Das 36 Meter hohe Westerntor blieb
als einziges erhalten.

Defiant witness of the past: Wernigerode's town
fortifications from the 13th century. After recei-
ving a town charter, it purchased the fortifications
from the Counts von Wernigerode for 70 pounds
of silver and thus acquired the much sought-after
right to levy tolls at the three town gates, of which
the 36-meter-high Westerntor remained the only
intact one.

Témoins belliqueux du passé: les fortifications de
Wernigerode du 13e siècle. Après l'obtention du
droit de ville, la ville avait acheté les remparts au
comte de Wernigerode pour 70 livres d'argent et
obtint ainsi le droit de douane tant convoité aux
portes de la ville. La Westerntor, haute de 36
mètres, est la seule qui ait subsisté.

Wer den Brocken besser in Augenschein nehmen will, sollte in den Stadtteil Hasserode (Foto) fahren – oder den Ottofelsen besuchen, von dem man einen herrlichen Panoramablick hat.

Those who wish to get a better look at Brocken should go to the town district of Hasserode (photo) or visit Ottofelsen, where one has a marvelous panoramic view.

Qui veut avoir une belle vue du Brocken devrait se rendre dans le quartier d'Hasserode (photo) ou aux Ottofelsen d'où l'on découvre un panorama splendide.

Schierke

Klein, aber fein: Direkt am Fuße des Brocken liegt der Luftkurort Schierke (oben: Gemeindehaus). Wer den sagenumwobenen Berg nicht zu Fuß besteigen will, auf den wartet seit September 1991 wieder die Brockenbahn. Mit Volldampf geht's

Small is beautiful: the health resort of Schierke (above: parish house) is situated right at the foot of Brocken. Since September 1991 the Brocken train has been available again to those who do not want to climb the legendary mountain on foot.

Petite mais jolie: la station climatique de Schierke (ci-dessus: la maison communale) est située juste au pied du Brocken. Qui ne veut pas escalader le mont légendaire à pied prendra le chemin de fer du Brocken qui est de nouveau en

damit auf der 16 Kilometer langen Schmalspur-Strecke ins Reich der Mythen – ein Ausflug, der durch die deutsche Teilung 30 Jahre lang nicht möglich war, da der Brocken im Sperrgebiet der DDR lag.

Then it's off to the realm of myths at full steam on the 16-kilometer-long narrow-gauge tracks – an excursion which was not possible for 30 years due to the division of Germany since Brocken used to be in the prohibited zone of East Germany.

service depuis 1991. Il s'élance à pleine vapeur au royaume des mythes sur la ligne à voie étroite longue de 16 kilomètres. Cette excursion n'était plus possible durant les 30 années de partition de l'Allemagne, le Brocken se trouvant dans la zone interdite de la RDA.

Rübeland

Arbeiter stießen 1866 beim Straßenbau in Rübeland auf die Hermannshöhle (Foto). Doch sie war nicht die erste Entdeckung dieser Art: Die Baumannshöhle gilt seit ihrer Entdeckung 1536 als eine der schönsten Naturhöhlen Deutschlands. Von ihrem gewaltigen Gewölbe und dem kristallklaren See waren schon Goethe und Heinrich Heine hingerissen. Die unterirdische Naturbühne wird für Aufführungen genutzt.

In 1866 road construction workers came upon Hermannshöhle (photo) in Rübeland. It was not the only discovery of this kind, however: since its discovery in 1536, Baumannshöhle has been regarded as one of Germany's most beautiful natural caves. Goethe and Heinrich Heine were once captivated by its mighty arches and the crystal clear lake. The natural underground stage is used for performances.

Des cantonniers construisant une route dans le Rübeland découvrirent en 1866 la grotte d'Hermannshöhle (photo). Ce n'était pas la première découverte de cette sorte: la Baumannshöhle est considérée depuis 1536 comme l'une des plus belles d'Allemagne. Goethe et Henri Heine s'enthousiasmèrent déjà pour ses puissantes voûtes et son lac aux eaux cristallines. Cette scène naturelle souterraine est utilisée pour des représentations.

Der größte künstliche See des Harzes entstand 1952 bis 1959. Die Rappbodetalsperre kann bis zu 127 Millionen Kubikmeter Wasser speichern. Von der Aussichtsplattform oberhalb der großen Staumauer hat man diesen herrlichen Blick.

The largest artificial lake in Harz came into being from 1952 to 1959. The Rappbodetalsperre is a reservoir with a capacity of up to 127 million cubic meters of water. One has a marvelous view from the observation platform above the large dam wall.

Le plus grand lac artificiel du Harz fut créé de 1952 à 1959. Le barrage de Rappbodetal peut contenir jusqu'à 127 millions de mètres cubes d'eau. De la plate-forme panoramique du haut du grand mur de la digue la vue est magnifique.

Blankenburg

Zu den Attraktionen Blankenburgs zählt das Rathaus, das Anfang des 16. Jahrhunderts auf gotischen Mauerresten eines Vorgängerbaus entstand (links). Am Treppenturm erinnern die Wappen der Grafen von Blankenburg und des Herzogs von Braunschweig an eine frühe Renovierung. Das ehemalige Schloß (unten) dient heute als Fachschule. Ihm zu Füßen liegt ein idyllischer Barockgarten. Er gehört zum kleinen Schloß, in dem das Heimatmuseum residiert.

Among Blankenburg's attractions is the Town Hall, which was built on Gothic wall ruins of a previous structure at the beginning of the 16th century (left). The coats-of-arms of the Counts von Blankenburg and the Duke von Braunschweig on the tower with steps recall an early renovation (small photo). The former castle (below) serves as a college today; at its foot there is an idyllic baroque garden. It belongs to the small castle, in which the museum of local history is located.

L'hôtel de ville construit au début du 16e siècle sur les vestiges d'un édifice gothique (à gauche) est l'une des attractions de Blankenburg. Les armes

des comtes de Blankenburg et du duc de Braunschweig sur la tour de l'escalier rappellent une rénovation ancienne. Le château (ci-dessous) abrite à présent une école professionnelle. A sa base se trouve un idyllique jardin baroque. Il fait partie du petit château où un musée des Traditions Locales a été aménagé.

Durch den Harz führt ein Wanderwegenetz von 8000 Kilometern Länge. Ein Streifzug führt nicht nur vorbei an Bergen, Schluchten, Tälern und Wäldern: Zur Rapsblütezeit erstrecken sich leuchtend gelbe Felder bis an den Horizont.

There is an 8000-kilometer-long network of hiking paths winding through Harz. A tour on foot not only takes you past mountains, canyons, valleys and forests: bright yellow fields stretch to the horizon when the rape plants are in bloom.

Le Harz est parcouru d'un réseau de chemins de randonnées long de 8000 kilomètres. Ils ne mènent pas seulement à des montagnes, des gorges, des vallées et des forêts. A la saison où le houblon est en fleur, des champs d'un jaune éclatant s'étendent jusqu'à l'horizon.

Nur drei Kilometer von Blankenburg entfernt liegt das Kloster Michaelstein (hier: barockes Torhaus). Über einer nahen Höhle, in der einst ein Einsiedler lebte, war im 10. Jahrhundert eine Kirche zu Ehren des Erzengels Michael entstanden. Später wurde daraus ein Kloster, das man im 12. Jahrhundert an die heutige Stelle verlegte. Jetzt hat sich das Telemann-Kammerorchester hier eingerichtet und veranstaltet im Refektorium regelmäßig Konzerte.

Michaelstein Monastery (here: baroque gatehouse) is located only three kilometers from Blankenburg. In the 10th century a church was built in honor of Archangel Michael above a nearby cave, in which a hermit once lived. Later it became a monastery, which was moved to its present location in the 12th century. Now the Telemann Chamber Orchestra has established itself here and holds concerts regularly in the refectory.

Le monastère de Michaelstein (ici: le bâtiment de l'entrée de style baroque) n'est situé qu'à trois kilomètres de Blankenburg. Au 10e siècle une église dédiée à l'archange Michel avait été construite au-dessus d'une grotte voisine où vivait un ermite. Plus tard un monastère se développa à cet endroit et on le transféra au 12e siècle à l'emplacement actuel. A présent l'orchestre de chambre Telemann s'est installé ici et donne régulièrement des concerts dans le réfectoire.

Thale

Wer sich auf die Spur der Hexen begeben will, braucht keinen Besen. Per Sessellift erreicht man ab Thale über das Bodetal hinweg die Felsengruppe der Roßtrappe und den Hexentanzplatz. Das 250 Meter hohe Felsplateau diente früher germanischen Stämmen als Kultstätte (links).
An seinen Steilhang schmiegt sich seit Anfang des Jahrhunderts eines der schönsten Freilichttheater Deutschlands, in dem 1400 Zuschauer Platz finden.

Those who wish to follow the trail of the witches do not need a broom. You can reach the Roßtrappe rock formation and Hexentanzplatz (Witch Dancing Site) by chairlift from Thale via Bodetal. The 250-meter-high rock plateau was once used by Germanic tribes as a place of worship. One of the most beautiful open-air theaters in Germany, which can accomodate 1400 spectators, has nestled against its steep cliff wall since the beginning of the century.

Qui veut suivre les sorcières à la trace n'a pas besoin de balai. En télésiège, à partir de Thale, à travers la vallée de Bodetal, on atteint le groupe de rochers de Roßtrappe et le Hexentanzplatz. Le plateau rocheux haut de 250 mètres (à gauche) servait jadis de lieu du culte aux tribus germaniques. L'un des plus beaux théâtres en plein air d'Allemagne se blottit contre le versant escarpé. Il contient 1400 places.

Das wildromantische Bodetal ist berühmt für seine steilen Felsschluchten, zwischen denen das Wasser der Bode zu Tal schäumt (unten). Hier tummelten sich angeblich mit Vorliebe die germanischen Götter. Brunhilde soll auf der Flucht vor einem Ritter mit ihrem Pferd vom Hexentanzplatz über den tiefen Abgrund zur Roßtrappe (rechts) gesprungen sein. Wer's nicht glauben will: Im Felsen ist bis heute der Hufabdruck zu sehen.

The wildly romantic Bodetal is famous for its steep rock canyons, between which the foaming waters of the Bode flow through the valley (below). Germanic gods are supposed to have enjoyed romping about here. Brunhilde is said to have jumped with her horse from Hexentanzplatz over the deep abyss to Roßtrappe (right) while fleeing from a knight. For those who don't believe it: today one can still see the hoofprint in the rocks.

La vallée de Bodetal, d'un romantisme sauvage, est célèbre pour ses gorges escarpées dans lesquelles l'eau de la Bode se précipite vers la vallée (ci-dessous). Ici s'ébrouaient de préférence les dieux germaniques, dit-on. Brunhilde fuyant un chevalier aurait sauté avec son cheval par-dessus l'abîme, de l'Hexentanzplatz au Roßtrappe (à droite). Pour les sceptiques: les empreintes des sabots sont encore visibles jusqu'à ce jour dans le rocher.

Quedlinburg

Quedlinburg – ursprünglich Kaufmanns- und Handwerkersiedlung, später Schauplatz vieler Reichstage und kirchlicher Konvente – hatte seinen wirtschaftlichen Aufstieg auch Erfolgen in Landwirtschaft und Gartenbau zu verdanken. In unserem Jahrhundert entwickelte sich die „Stadt der Blumen" zu einem Industriestandort und

Quedlinburg – originally a merchants' and craftsmen's settlement, later scene of many imperial diets and church conventions – also owed its economic rise to successes in agriculture and horticulture. In our century the "town of flowers" developed into an industrial and educational center. Its trademark is still Schloßberg with the Romanesque

Quedlinburg – à l'origine une colonie d'artisans et de marchands devint le théâtre de nombreuses diètes d'empire et d'assemblées ecclésiastiques. La ville doit sa croissance à ses succès en agriculture et en horticulture. La «Ville des Fleurs» devint au 20e siècle une ville industrielle et un centre d'enseignement. Son emblème reste le

Bildungszentrum. Ihr Markenzeichen ist immer noch der Schloßberg mit der romanischen Basilika St. Servatius (links). Hier, wo Otto I. im 10. Jahrhundert ein Damenstift für Töchter des Adels gründete, bahnen sich jetzt Touristen zwischen Gotik und Barock den Weg. Vom Schloßgarten aus liegen einem die Dächer und Türme von Quedlinburg zu Füßen.

basilica of St. Servatius (left). Here, where Otto I founded a home for daughters of noble families, tourists now make their way between Gothic and baroque architecture. The roofs and towers of Quedlinburg lie at one's feet from the vantage point of the castle garden.

Schloßberg avec la basilique romane St. Servatius (à gauche). Othon I fit construire ici, au 10e siècle, une institution pour les jeunes filles nobles. De nos jours ce sont les touristes qui se fraient un chemin entre le gothique et le baroque. Les toits et les tours de Quedlinburg gisent aux pieds de qui se trouve dans le jardin du château.

Mittelpunkt des Marktes ist das Rathaus, das ursprünglich im gotischen Stil errichtet wurde, später aber einen Fachwerkzusatz erhielt. Seine Renaissancefassade mit dem prächtigen Portal und Stadtwappen ist seit 1613 ein großartiger Blickfang. Der Roland vor dem Rathaus erinnert an die Zeit, als sich Quedlinburg der Hanse anschloß. Er wurde 1427 als Symbol der bürgerlichen Unabhängigkeit aufgestellt.

The center of attraction of Market Square is the Town Hall, which was originally built in Gothic style but later received a half-timbered addition. Its Renaissance facade with the splendid portal and city coat-of-arms has been a magnificent sight since 1613. The Roland statue in front of the Town Hall recalls the time when Quedlinburg belonged to the Hanseatic League. It was erected as a symbol of civil independence in 1427.

L'hôtel de ville forme le centre du Markt. Il fut construit à l'origine dans le style gothique et, plus tard, on lui ajouta une annexe à colombages. La façade Renaissance de 1613 avec le magnifique portail et le blason de la ville attire tous les regards. Le Roland devant l'hôtel de ville rappelle l'époque où Quedlinburg était membre de la Hanse. Il fut placé ici en 1427 comme symbole de l'indépendance civique.

Dem prominentesten Bürger Quedlinburgs ist ein Museum gewidmet. Im Geburtshaus des Dichters Friedrich Gottlieb Klopstock (1724–1803), einem Fachwerkbau aus dem 16. Jahrhundert, werden seit 1974 Handschriften und Sammlungen zum Werk des ersten deutschen Klassikers aufbewahrt.

A museum is dedicated to Quedlinburg's most prominent citizen. Since 1974 manuscripts and collections on the works of Germany's first classical writer have been kept in the house in which poet Friedrich Gottlieb Klopstock (1724–1803) was born, a half-timbered edifice dating from the 16th century.

Un musée est dédié au plus célèbre fils de Quedlinburg. Dans la maison natale du poète Friedrich Gottlieb Klopstock (1724–1803), un édifice à colombages du 16e siècle, des manuscrits et des collections relatives à l'œuvre du premier classique allemand ont été recueillies depuis 1974.

Wo sich heute hübsches Fachwerk aneinander-
reiht, soll der Legende nach 919 eine Abordnung
deutscher Fürsten dem Sachsenzherzog Heinrich
die deutsche Königskrone angeboten haben. Der
Platz heißt „Finkenherd" – im Mittelalter eine Ein-
richtung zum Vogelfang.

According to legend, a delegation of German
princes is supposed to have offered Saxon Duke
Heinrich the German royal throne in 919 at the
site where lovely half-timbered houses are lined up
today. The square is called "Finkenherd" – a de-
vice for catching birds during during the Middle
Ages.

A cet endroit bordé de jolies maisons à colombages, une délégation des princes allemands
aurait accordé la couronne royale au duc de
Saxe, Henri, en 919. La place s'appelle «Finkenherd», un dispositif médiéval pour attraper les
oiseaux.

Gernrode

Ein Kloster, das von Markgraf Gero im 10. Jahrhundert gegründet und unter Otto I. Reichsstift wurde, bildete den Auftakt für die rasante Entwicklung des Kurortes Gernrode. Die Stiftskirche St. Cyriacus zählt zu den bedeutendsten romanischen Baudenkmälern der ottonischen Kunst.

A monastery, which was founded by Margrave Gero in the 10th century and became an imperial chapter of a collegiate church under Otto, marked the beginning of the rapid development of the spa, Gernrode. The collegiate church of St. Cyriacus numbers among the most significant Romanesque historical monuments of Ottonic art.

Un monastère fondé par le margrave Gero au 10e siècle et devenu fondation impériale sous Othon I fut le point de départ du développement fulgurant de la station balnéaire de Gernrode. L'église collégiale St. Cyriacus compte parmi les plus importantes constructions romanes de style ottonien.

Ballenstedt · Harzgerode

In Ballenstedt (links), der früheren Residenz der
Fürsten von Anhalt, wirkten einst Franz Liszt und
Albert Lortzing. Das Schloß dient heute als Forst-
fachschule.
Der Markt ist das Schmuckstück von Harzgerode.
Das farbenprächtige Rathaus wirkt wie frisch aus
dem Mittelalter, wurde aber erst 1901 vollendet.
In der Barockkirche St. Marien befindet sich die
Fürstengruft.

Franz Liszt and Albert Lortzing once worked in
Ballenstedt, the former residence of the Princes
von Anhalt. Today the castle serves as a forestry
college (left).
Market Square is Harzgerode's showpiece. The
colorful Town Hall looks as if it were fresh out of
the Middle Ages, though it was not completed
until 1901. The royal tomb is located in the
baroque church of St. Marien.

Franz Liszt et Albert Lortzing travaillèrent jadis à
Ballenstedt, l'ancienne résidence des princes
d'Anhalt. Le château abrite aujourd'hui une école
professionnelle de foresterie (à gauche).
Le Markt est le bijou d'Harzgerode. L'hôtel de
ville aux magnifiques couleurs semble fraîchement
issu de Moyen Age. Il ne fut complété qu'en 1901.
L'église baroque St. Marien abrite le caveau des
princes.

Stolberg

Der Alltag Stolbergs war lange Zeit vom Bergbau bestimmt: Man förderte Eisenerz, Kupfer, Silber und sogar Gold. Dort, wo bereits im 8. Jahrhundert Eisenerz abgebaut wurde, ließ um 1200 ein Graf zu Stalberg eine Burg errichten. Bis heute ist das ehemalige Renaissanceschloß Wahrzeichen der Stadt. Aus der Zeit wirtschaftlicher Hochblüte im 16./17. Jahrhundert blieben viele Fachwerkbauten mit kunstvollen Schnitzereien erhalten.

Everyday life in Stolberg was, for a long time, influenced by mining: iron ore, copper, silver and even gold was mined here. Around 1200 one of the Counts zu Stalberg had a castle built at the site where iron ore was mined during the 8th century. Today the former Renaissance castle is still the landmark of the town. Many half-timbered edifices with artistic carving work have remained intact from the time of its economic golden age in the 16th/17th centuries.

La vie quotidienne à Stolberg dépendit pendant longtemps des mines. On en extrayait du fer, du cuivre, de l'argent et même de l'or. Vers 1200 le comte de Stalberg fit construire une forteresse à l'endroit où le minerai de fer était exploité depuis le 8e siècle. Encore aujourd'hui l'ancien château Renaissance est l'emblème de la ville. De nombreux édifices aux colombages artistiquement sculptés nous sont parvenus de la période de l'apogée économique de la ville.

Walkenried

Das Zisterzienserkloster Walkenried war im 14./ 15. Jahrhundert das reichste in Nord- und Mittel- deutschland. Mit Fischteichen, Hüttenwerken und riesigen Ländereien betrieben die Klosterbrüder quasi einen Konzern. Als Machtsymbol entstand 1290 nach 80jähriger Bauzeit ein monumentaler

The Cistercian monastery Walkenried was the richest in northern and central Germany in the 14th and 15th centuries. With fish ponds, iron and steel works and huge estates the monks virtually ran a conpany. As a symbol of power, a monumen- tal church edifice was built in 1290 after a construc-

Le monastère cistercien de Walkenried était aux 14 etr 15e siècles le plus riche du nord et du centre de l'Allemagne. Il comprenait des viviers, des forges et d'Immenses domaines qui en fai- saient un véritable consortium. L'église monu- mentale, symbole de son pouvoir, date de 1290.

Kirchenbau. Die gesamte Anlage fiel später den Bauernkriegen zum Opfer und wurde dann als Steinbruch benutzt. Heute gehören der Kreuzgang (links) und die Ruinen des Kirchenschiffs zu den wenigen Zeugen der Vergangenheit.

tion period of 80 years. The entire complex later fell victim to the Peasant Wars and was then used as a stone quarry. Today the cloister (left) and the ruins of the church nave are among the few testimonies of the past.

Sa construction dura 80 ans. Le complexe fut ravagé pendant la guerre des Paysans et servit alors de carrière. Le cloître (à gauche) et les ruines de la nef témoignent de ce passé.

Bad Sachsa

Auf dem 450 Meter hohen Katzenstein bei Bad Sachsa können Besucher mit scharfen Krallen auf Tuchfühlung gehen. Seit über 20 Jahren widmen sich auf dem Falkenhof Experten dem Schutz, der Zucht und Erforschung von Eulen und Greifvögeln.

Near Bad Sachsa visitors can come into contact with sharp claws on the 450-meter high "Katzenstein". For over 20 years experts at "Falkenhof" have been dedicating themselves to the protection, breeding and study of owls and birds of prey.

Sur le Katzenstein, haut de 450 mètres, près de Bad Sachsa, le visiteur peut se familiariser avec des serres aiguës. Depuis plus de 20 ans, les experts du Falkenhof se dédient à la protection, l'élevage et l'étude des hiboux et des oiseaux de proie.

So verträumt wie die Namen seiner Ausflugsziele Schmelzteich und Märchengrund ist das tausendjährige Bad Sachsa keineswegs. Sein komfortables Kurzentrum mit Park pflegt geschäftig eine Tradition, die 1905 mit der Übernahme des Titels „Bad" begann.

The thousand-year-old spa of Bad Sachsa is by no means as dreamy as the names of its excursion sites, "Schmelzteich" and "Märchengrund". Its comfortable spa center with park zealously cultivates a tradition that began with the adoption of the name "Bad" in 1905.

La station thermale millénaire de Bad Sachsa n'est pas aussi plongée dans ses rêveries que les noms de «Schmelzteich» et «Märchengrund» pourraient nous le faire croire. Son confortable établissement thermal avec parc cultive avec zèle une tradition qui remonte à 1905 lorsque la ville prit le nom de «Bad».

Hohegeiß

Wogende Schafgarbefelder zählen zu der seltenen Pflanzen- und Tierwelt, die rund um Hohegeiß erhalten blieb. Der Ort ist auch wegen des jährlichen „Finkenmanövers" berühmt, bei dem Vogelmännchen um die Wette schlagen.

Waving fields of yarrow are part of the rare fauna and flora world that has remained preserved around Hohegeiß. The town is also famous because of the annual „finch maneuvers", during which male birds compete with each other.

Ces champs de millefeuilles ondoyants sont des exemples de la faune et de la flore du Hohegeiß qui comprend des spécimens rares. Cet endroit est célèbre aussi pour les annuelles «manœuvres des pinsons» durant lesquelles les oiseaux mâles rivalisent les uns avec les autres.

Zorge

Der kleine Luftkurort Zorge hält beim Wettbewerb um Feriengäste spielend mit. In Nachbarschaft zur Burgruine Klein-Staufenberg gelegen, besticht er mit hübschen Winkeln, oft blumengeschmückt.

The small climatic health resort of Zorge keeps pace in the competition for holiday guests. Situated nearby the castle ruins of "Klein-Staufenberg", it is captivating with its lovely spots, often interspersed with flowers.

La petite station climatique de Zorge tient tête sans efforts à ses rivales. Située près des ruines de la forteresse de Klein-Staufenberg, elle séduit avec de jolis recoins souvent ornés de fleurs.

St. Andreasberg

Straßen mit bis zu 18 Prozent Steigung belegen, daß St. Andreasberg mit seinen typischen Holzhäusern von allen Harzstädten die höchstgelegene ist. Gut in Schwung kommt man auch am nahen Mathias-Schmidt-Berg, wo eine 560-Meter-Rutschbahn ins Tal führt.

Streets having a gradient of up to 18 percent demonstrate that St. Andreasberg with its typical wooden houses is the highest of all Harz towns. One can really get going on nearby Mathias-Schmidt-Mountain where a 560-meter toboggan slide leads down to the valley.

Des rues dont la pente peut aller jusqu'à 18 pour cent prouvent que St. Andreasberg, avec ses maisons de bois typiques, est la plus haute de toutes les villes du Harz. Les bons marcheurs grimperont sur le mont Mathias-Schmidt voisin d'où un toboggan haut de 560 mètres descend dans la vallée.

Braunlage

Der Ortsname soll „Brauner Wald" bedeuten und verweist auf die Blütezeit als Bergbaustadt im 17. Jahrhundert. Jetzt pflegt Braunlage seinen Ruf als Kurort. Das attraktive Kurgastzentrum (Foto) spielt dabei eine ebenso große Rolle wie das saison-unabhängige Eisstadion.

The name of the town is supposed to mean "Brown Woods" and refers to its heyday as a mining town in the 17th century. Now Braunlage cultivates its reputation as a spa. The attractive spa guest center (photo) plays just as large a role as the seasonally unrestricted ice-skating rink.

Son nom signifie «Forêt Brune» et rappelle l'âge d'or de cette ville minière au 17e siècle. Braunlage est maintenant un lieu de cure réputé. Le charmant centre de l'établissement balnéaire (photo) joue un rôle aussi important que la patinoire ouverte en toutes saisons.

In 971 Metern Höhe hat sich auf dem Wurmberg die ehemals bronzezeitliche in eine sportliche Kultstätte verwandelt. Der Braunlager „Hausberg" ist Mekka für Wanderer und Brettlfans – schließlich wurde hier 1892 der erste Skiclub Deutschlands gegründet. Bild oben: Blick auf Braunlage.

At a height of 971 meters the former Bronze Age place of worship on "Wurmberg" has transformed into a sporting site. Braunlage's "Hausberg" is a mecca for hikers and skiing fans – after all Germany's first skiing club was founded here in 1892. Picture above: View of Braunlage.

Situé à une altitutde de 971 mètres, l'ancien lieu de culte de l'âge de bronze sur le Wurmberg s'est transformé en une station de sports. La «montagne locale» de Braunlage est une Mecque pour les marcheurs et les skieurs. Le premier club de ski d'Allemagne y fut d'ailleurs fondé en 1892. Photo ci-dessus: vue de Braunlage.

Herzberg · Bad Lauterberg

Erinnerungen an die Welfen werden im Herzberger Schloßhof wach. Der außergewöhnliche Fachwerkbau aus dem 16. Jahrhundert beherbergt unter anderem ein Forst- und Zinnmuseum. Bad Lauterberg war Sebastian Kneipp um Nasenlängen voraus, als hier schon 1839 Kaltwasser als Heilmittel eingesetzt wurde. Fortschrittlich gibt man sich bis heute, sei es bei den öffentlichen Sonnenterrassen für FKK-Jünger oder dem vielseitigen Angebot für Einkaufsbummler.

Memories of the Guelphs are revived in "Herzberg's Schloßhof". The extraordinary half-timbered edifice from the 16th century contains a forestry and tin museum. Bad Lauterberg beat Sebastian Kneipp by a nose when cold water was used as a remedy here in 1839. And the town has remained progressive right up to today, whether it is the public sun terraces for nudists or the wide selection for shopping spree enthusiasts.

Le souvenir de Guelfes revit dans le Herzberger Schloßhof. Cet édifice à colombages hors du commun date du 16e siècle et abrite, entre autres, un musée de la Forêt et de l'Etain. Les bains d'eau froide ayant été introduits dans les cures dès 1839, Bad Lauterberg devança Sebastian Kneipp d'un nez. La ville est restée à l'avant-garde qu'il s'agisse des terrasses publiques pour nudistes aimant le soleil ou de la gamme des marchandises offertes aux acheteurs.

Osterode

Heinrich Heine fühlte sich 1824 beim Anblick Osterodes mit seinen roten Dächern an eine Moosrose inmitten von Tannengrün erinnert. Idylle vermitteln noch heute die erhaltene Stadtmauer samt Sonnen- und Pulverturm, Kornmarkt, Rathaus und prächtige Fachwerkhäuser aus dem 17.

Heinrich Heine felt reminded of a moss rose amid evergreen upon view of Osterode with its red roofs in 1824. Idylls are still conveyed today by the intact town walls including "Sonnenturm" ("Sun Tower") and the magazine, grain market, Town Hall and splendid half-timbered houses from the 17th/18th

Heinri Heine contemplant Osterode en 1824 la compara, avec ses toits rouges, à une rose de mousse au milieu des verts sapins. Les fortifications avec les tours Pulverturm et Sonnenturm, le Kornmarkt, l'hôtel de ville et les magnifiques maisons à colombages des 17 et 18e siècles ont

und 18. Jahrhundert. Auch ein Blick ins Harzkorn-magazin lohnt sich, das ab 1772 zur Versorgung der Bergstädte diente. Im Heimatmuseum über-raschen Replikate von Tilman Riemenschneider: Der berühmte Bildhauer des 15. Jahrhunderts soll in Osterode seine Jugend verbracht haben.

century. A view into the Harz grain storeroom, which served as supply store for the mountain towns beginning in 1772, is also worthwhile. In the Museum of Local History replicas of Tilman Rie-menschneider are surprising: The famous sculptor of the 15th century is supposed to have spent his youth in Osterode.

une charme idyllique. Le Harzkornmagazin qui servait à l'approvisionnement des villes de mon-tagne à partir de 1772, mérite une visite. Dans le musée des Traditions Locales des copies des œuvres de Tilman Riemenschneider surprend-ront le viditeur: le célèbre sculpteur de 15e siècle aurait passé sa jeunesse à Osterode.

Altenau

Der Fünf-Täler-Ort Altenau, überragt von einem modernen Ferienpark, hat mit dem Bruchberg ein beliebtes Wanderziel vor der Tür. Vor allem bei Wintersportlern begehrt ist das Torfhaus. Von hier erscheint der 1142 m hohe Brocken zum Greifen nahe.

The five-valley town of Altenau, eclipsed by a modern holiday park, has in "Bruchberg" a favorite hiking site right at its doorstep. "Torfhaus" is particularly coveted by winter sports enthusiasts. The 1142 m high "Brocken" Mountain appears as if you could almost touch its peak from here.

Le Fünf-Täler-Ort d'Altenau est dominé par un parc de vacances moderne. Sur son seuil: le Bruchberg, lieu de randonnées très apprécié. Les amateurs de sport d'hiver affectionnent en particulier la «Torfhaus» de là, le Brocken, haut de 1142 mètres, semble être tout près, comme pouvant être touché.

Bad Grund

Bad Grund wird in den Chroniken 1317 erstmals erwähnt. Während die Stadt früher mit Silber ihr Geschäft machte, ist heute das Moor zur ständigen Goldgrube geworden. Seine Heilkraft zieht die Menschen seit 1929 hierher. Von den einst 17 Erzgruben ist heute keine mehr in Betrieb.

Bad Grund is first mentioned in chronicles in 1317. Whereas the town used to do business in silver, today the moor has become a constant gold mine. Its healing power has drawn people here since 1929. None of the former 17 ore mines is still in operation today.

Bad Grund est mentionné dans les documents dès 1317. Tandis que la ville faisait jadis des affaires avec le minerai d'argent, c'est la «Moor» qui est devenue aujourd'hui une vraie mine d'or. Ses vertus curatives attirent les patients depuis 1929. Les dix-sept mines de jadis ont été toutes fermées.

Clausthal-Zellerfeld

Clausthal-Zellerfeld ist aus zwei alten Bergstädten zusammengewachsen. Tradition verpflichtet: Die kleinste Universitätsstadt der Bundesrepublik beherbergt eine Mineraliensammlung von Weltruf. Im Dietzelhaus (Foto) gibt eine Ausstellung über den Harz in Sage und Märchen Auskunft.

Clausthal-Zellerfeld grew together out of two old mountain towns. Tradition carries an obligation: The smallest university town in the Federal Republic of Germany possesses a collection of minerals having an international reputation. In "Dietzelhaus" (photo) an exhibition provides information on Harz through legend and fairy tale.

Clausthal-Zellerfeld se développa à partir de deux villes minières. Tradition oblige: la plus petite ville universitaire de la République Fédérale possède une collection de minéraux de renommée internationale. La Dietzelhaus (photo) accueille une exposition sur le Harz dans les légendes et les contes de féees.

Die Marktkirche zum Heiligen Geist aus dem Jahre 1642 ist mit 2200 Plätzen die größte Holzkirche Europas. Zu ihren Schätzen zählt der Spätrenaissance-Altar von Andreas Duder. Auch der geschnitzte Orgelprospekt von Johann Albrecht Unger anno 1758 ist ein Meisterstück.

The Market Church of the Holy Ghost dating from 1642 is with its 2200 seats the largest wooden church in Europe. Its treasures include the late Renaissance altar by Andreas Duder. The carved organ back-drop by Johann Albrecht Unger from 1758 is also a masterpiece.

La Marktkirche dédiée au Saint-Esprit date de 1642. Avec ses 2200 places c'est la plus grande église en bois d'Europe. L'autel fin Renaissance d'Andreas Duder et le buffet d'orgue sculpté de Johann Albrecht Unger de 1758, comptent parmi les chefs-d'œuvre qu'elle abrite.

Auf der Suche nach Erz stieß man vor über 450 Jahren auf ein Juwel ganz anderer Art, die Iberger Tropfsteinhöhle. Verdunstendes Regenwasser hat in Jahrtausenden eine Märchenwelt in Kalk erschaffen. Ihre Gebilde inspirieren zu Namen wie hier „der Wasserfall".

In search of ore, miners stumbled upon a jewel of an entirely different kind 450 years ago, the Iberg dripstone cave. Evaporating rainwater has created over millenia a fairy-tale world in limestone. Its formations inspire names such as here "the Water fall".

En cherchant du fer l'on découvrit, il y a plus de 450 ans, un bijou d'une toute autre sorte, la grotte d'Iberger. Au cours des millénaires l'eau, en s'évaporant, a créé un monde fantastique. Les formations de calcaire ont inspiré des noms tels que «la chute d'eau» représentée ici.

Der Sage nach liegt unter dem Felsen das Schloß des Zwergenkönigs Hübich. Wo besser als auf der Freilichtbühne davor könnten die Harzer jährlich am 30. April die Walpurgisnacht feiern? Weniger mystisch ist der Adler auf dem Hübichenstein, ein Relikt aus der Ära Kaiser Wilhelms I.

According to legend, the palace of the dwarf-king Hübich lies under the rock. What better place for the people in Harz to celebrate the annual Walpurgis Night on April 30 than on the open-air stage in front of it? The eagle on the Hübichenstein, a relic from the era of Kaiser Wilhelm I, is less mystical.

D'après la légende, le château du roi des nains Hübich serait situé sous ce rocher. Où les habitants du Harz auraient-ils pu trouver un meilleur endroit pour fêter, le 30 avril, la nuit de Walpurgis que sur la scène en plein air qui se trouve devant la Hübichenstein? L'aigle de son sommet est moins mystique. C'est une relique de l'époque de l'empereur Guillaume I.

Wildemann

Wildemann ist die kleinste der Oberharzer Bergstädte, dessen Hauptattraktion ein Stollen des
alten Silberbergwerkes ist. Den historischen Orts-
kern überragt die Maria-Magdalena-Kirche.
19 Mal ein „Lachter" tiefer (altes Bergmannsmaß)
liegt der gleichnamige Stollen in Wildemann unter
dem nächsthöher gelegenen. 8800 Meter lang ist
die Strecke unter Tage, die ab 1540 als Ableitung
für das Grubenwasser bestimmt war. 400 Meter
sind zur Besichtigung freigegeben.

Wildemann is the smallest Oberharz mountain
town, whose main attraction is a gallery of the old
silver mine. The Maria-Magdalena Church towers
over the historical core of the town.
19 "Lachter" (old miners' measure) deeper than
the next higher one lies the gallery of the same
name in Wildemann. The underground section
that served to drain off water in the mine beginning in 1540 is 8800 meters long. 400 meters of it
are open to viewing.

Wildemann est la plus petite ville de montagne
de l'Oberharz. Son attraction principale est une
galerie de la vieille mine d'argent. Elle est située
à 19 Lachter (vieille mesure des mineurs) plus
bas que la galerie la plus profonde après elle et
porte ce même nom de «Lachter». La partie souterraine est de 8800 mètres et servit à évacuer les
eaux à partir de 1540. On peut la visiter sur une
longueur de 400 mètres. L'église Marie-Made-
leine domine le centre historique de la ville.

Hahnenklee

Kopfüber ins Wasser gestellt, würde sie vermutlich schwimmen. Die Stabkirche in Hahnenklee – einzigartig in der Bundesrepublik – ist nach 900 Jahre alter Tradition wie ein Wikingerschiff gebaut. Zwölf Holzsäulen, Querbalken und Andreaskreuze sind ohne Hilfe von Schrauben oder

If placed headlong in water, it would presumably float. "Stabkirche" in Hahnenklee – unique in the Federal Republic of Germany – is, according to a 900-year-old tradition, built like a Viking ship. Twelve wooden columns, crossbeams and diagonal crosses are ploughed, tongued and grooved to

La Stabkirche d'Hahnenklee est unique en son genre en Allemagne. Retournée et placée dans l'eau elle est sensée flotter. Elle est construite comme un bateau viking selon une tradition vieille de 900 ans. Douze colonnes de bois, poutres transversales et croix de Saint-André sont

Nägeln untereinander vernutet und verspundet. Drinnen erinnert der große Kronleuchter an ein Steuerrad, muten die runden Fenster wie Bullaugen an. Norwegen-Fan Wilhelm II. stiftete das Fichtenholz für den Bau des heimischen Kirchenablegers im Jahr 1908.

gether without the use of screws or nails. Inside the large chandelier reminds one of a steering wheel while the round windows look like portholes. Norway fan Wilhelm II donated the spruce-wood for construction of the local church branch in 1908.

encastrées et ajustées sans l'utilisation de clous ni de vis. A l'intérieur le grand lustre rappelle un volant et les fenêtres rondes ressemblent à des hublots. Guillaume II, grand admirateur de la Norvège, fit don du bois de pin pour la construction de cette église. Elle date de 1908.

Fernab vom Durchgangsverkehr bietet Hahnenklee Urlaubern rund um Kurzentrum und Ferienpark Spaß und Erholung. Im Kurhaus befindet sich ein kleines Museum, das dem Operetten-Komponisten Paul Lincke gewidmet ist, und wer gern den Überblick behält, unternimmt am besten eine Gondelfahrt hinauf zum Bocksberg.

Far away from through traffic, Hahnenklee offers vacationers fun and relaxation all around the spa center and holiday park. At the "Kurhaus" there is a small museum devoted to the operetta composer, Paul Lincke, and those who like to maintain an overall view are advised to undertake a cable-car ride up to Bocksberg.

Hahnenklee, situé à l'écart des grands axes de circulation, offre repos et distractions autour du centre balnéaire et du parc de vacances. Dans la Kurhaus se trouve un petit musée dédié au compositeur d'opérettes Paul Lincke. Qui aime jouir du panorama se rendra en téléphérique sur le Bocksberg.

Lautenthal

Ehe Lautenthal als Luftkurort Furore machte, ernährte es mit seinen reichen Erzvorkommen seit Beginn des 16. Jahrhunderts zahlreiche Bergmannsfamilien. Einen Eindruck vom Alltag unter Tage vermitteln heute eine „Bergwerks- und Hüttenschau" und der „Tiefe Sachsenstollen".

Before Lautenthal caused a sensation as a climatic health resort, it provided a living for numerous miners' families with its rich ore deposits starting at the beginning of the 16th century. A "Mine an Iron and Steel Works Show" and the "Deep Saxon Gallery" today convey an impression of everyday life underground.

Avant de faire fureur comme station climatique, Lautenthal nourrit de nombreuses familles de mineurs depuis le début du 16e siècle, grâce à ses riches gisements de fer. A présent une «Exposition sur la Mine et la Forge» et la «Galerie Profonde Saxonne» illustrent la vie quotidienne sous terre.